LES VIEUX LIVRES SONT DANGEREUX

Groupe d'édition la courte échelle inc.
Division la courte échelle
4388, rue Saint-Denis, bureau 315
Montréal (Québec) H2J 2L1
www.courteechelle.com

Révision : Thérèse Béliveau
Correction : Françoise Côté
Direction éditoriale : Carole Tremblay
Conception graphique : Julie Massy
Infographie : Catherine Charbonneau

Dépôt légal, 2017
Bibliothèque nationale du Québec

Le Groupe d'édition la courte échelle reconnaît l'aide financière du gouvernement du Canada pour ses activités d'édition. Le Groupe d'édition la courte échelle est aussi inscrit au programme de subvention globale du Conseil des arts du Canada et reçoit l'appui du gouvernement du Québec par l'intermédiaire de la SODEC.

Le Groupe d'édition la courte échelle bénéficie également du Programme de crédit d'impôt pour l'édition de livres – Gestion SODEC – du gouvernement du Québec.

Catalogage avant publication de Bibliothèque et Archives nationales du Québec et Bibliothèque et Archives Canada

Gravel, François

Les vieux livres sont dangereux

(Collection noire)
Pour les jeunes de 9 ans et plus.

ISBN 978-2-89774-053-5

I. Titre.

PS8563.R388V53 2017 jC843'.54 C2016-942411-1
PS9563.R388V53 2017

Imprimé au Canada

LES VIEUX LIVRES SONT DANGEREUX

François Gravel

la courte échelle

1

Je me suis un peu assoupi pendant mon cours de français. Ça peut arriver à tout le monde, non ?

Je me suis endormi et j'ai senti la main du professeur se poser sur mon épaule. J'ai détesté cette sensation et je me suis réveillé en sursaut.

– Mon cours n'est pas assez intéressant pour toi, Mathieu ?

– Ce n'est pas ça, monsieur, c'est juste que je me suis entraîné toute la fin de semaine et...

– Je ne veux rien entendre. Va donc passer le reste de la période à la bibliothèque. Ça t'apprendra qu'il faut aussi se muscler le cerveau.

Mon professeur de français considère qu'aller à la bibliothèque est une punition. C'est quand même bizarre, quand on y pense. J'ai obéi sans me plaindre : je dormirais bien mieux à la bibliothèque, surtout que monsieur Robillard ne serait pas là pour me déranger.

2

J'ai ramassé mes affaires sans dire un mot et je suis sorti de la classe. C'est à partir de ce moment-là que tout a basculé.

Je me suis dirigé vers la bibliothèque, qui se trouve dans la plus ancienne partie de l'école. J'aime bien cette bâtisse construite il y a plus d'un siècle, avec ses murs en vieilles pierres, ses moulures en bois et ses vitraux qui décorent les fenêtres. Il ne manque que des statues pour qu'on se croie dans une église.

Une note était collée sur la porte de la bibliothèque : « De retour dans quinze minutes. »

N'ayant rien de mieux à faire, j'ai regardé les portraits des anciens élèves. Je passe devant ces cadres depuis presque cinq ans, mais je ne m'étais jamais arrêté pour les observer. La plus vieille promotion remonte à 1909. Il n'y avait que des garçons à cette époque et ils portaient des prénoms bizarres, comme Hormisdas, Tancrède, Napoléon ou Elphège. Ils avaient beau avoir mon âge au moment où ces photos avaient été prises, ils ressemblaient déjà à des adultes. Les filles sont apparues dans les années 1960, en même temps que les photos en couleurs. Leurs coiffures étaient étranges, mais certaines étaient très jolies. Il est difficile de croire que la plupart d'entre elles sont maintenant des grand-mères.

– Que faites-vous ici, jeune homme ?

J'ai sursauté en entendant cette voix. Je me suis aussitôt retourné et j'ai dû baisser les yeux pour voir celui qui m'avait apostrophé : je suis le plus grand joueur de mon équipe de basket, et cet homme était un nain. Je ne l'avais jamais croisé dans notre école. Si ça avait été le cas, je m'en serais certainement souvenu : j'ai rarement rencontré un être humain aussi difforme.

– Monsieur Robillard m'a dit d'aller passer le reste de la période à la bibliothèque.

– Je vois, a-t-il répondu en me regardant avec l'air d'un tailleur qui aurait cherché à évaluer mes mesures. Il a bien fait. Vous me semblez un excellent spécimen. Il était temps qu'il fasse son travail de rabatteur, celui-là. Suivez-moi.

Spécimen ? Rabatteur ? Je n'avais aucune idée de ce qu'il voulait dire et il ne m'a pas laissé le temps de lui poser des questions. Il a saisi un gros trousseau de clés qui pendait

à sa ceinture, en a choisi une et a ouvert une porte qui menait à la bibliothèque.

J'ai supposé que cette porte n'était utilisée que par les employés. Je ne l'avais jamais remarquée jusque-là.

Il m'a fait entrer, puis a refermé à clé derrière lui. Je n'aimais pas ces bruits métalliques. Je me sentais emprisonné.

Comme elle a été aménagée dans l'ancienne chapelle, la bibliothèque de notre école est heureusement très vaste. Le nain s'est dirigé derrière le comptoir et je suis allé instinctivement m'asseoir le plus loin possible de lui.

J'ai saisi un magazine sur un présentoir et j'ai fait semblant de m'y intéresser tout en observant cet étrange individu.

Il était si petit qu'on ne voyait que sa tête chauve, qui dépassait à peine du comptoir. Quand il se plaçait derrière l'écran de l'ordinateur, il disparaissait complètement.

– Je m'appelle Viateur. Viateur Leclerc. Si vous ne m'avez jamais vu ici, c'est que je reviens de... d'un congé de maladie. Un très long congé. J'ai longtemps été professeur ici, puis je suis devenu bibliothécaire à la fin de ma carrière.

Pourquoi sentait-il le besoin de se justifier ? Après tout, je ne lui avais rien demandé.

Je ne savais pas à quoi son congé de maladie avait servi, mais il aurait dû en profiter pour faire enlever l'énorme furoncle qu'il avait dans le cou.

– Comment vous appelez-vous ?

– Mathieu.

– Auriez-vous envie de travailler pour moi, monsieur Mathieu ? Je cherche quelqu'un pour m'aider à élaguer la bibliothèque. Les livres désuets s'empilent dans la cave et c'est dangereux pour le feu. Il s'agit tout simplement de les ranger dans des boîtes. Vous en auriez pour deux ou trois jours tout au plus. Vous pourriez y consacrer quelques samedis…

La perspective de m'enfermer dans une cave pour ranger des livres poussiéreux ne m'enchantait pas, et j'imagine qu'il l'a lu sur mon visage puisqu'il a habilement enchaîné :

– Je pourrais vous payer vingt dollars l'heure. Je sais bien que ce n'est pas grand-chose, bien que…

Il existe peut-être des gens qui estiment que vingt dollars l'heure ne représente pas grand-chose, mais je n'en fais pas partie. Je ne m'engageais pas pour toute la vie, après tout… Il suffisait de quelques samedis…

– Pourquoi pas ?

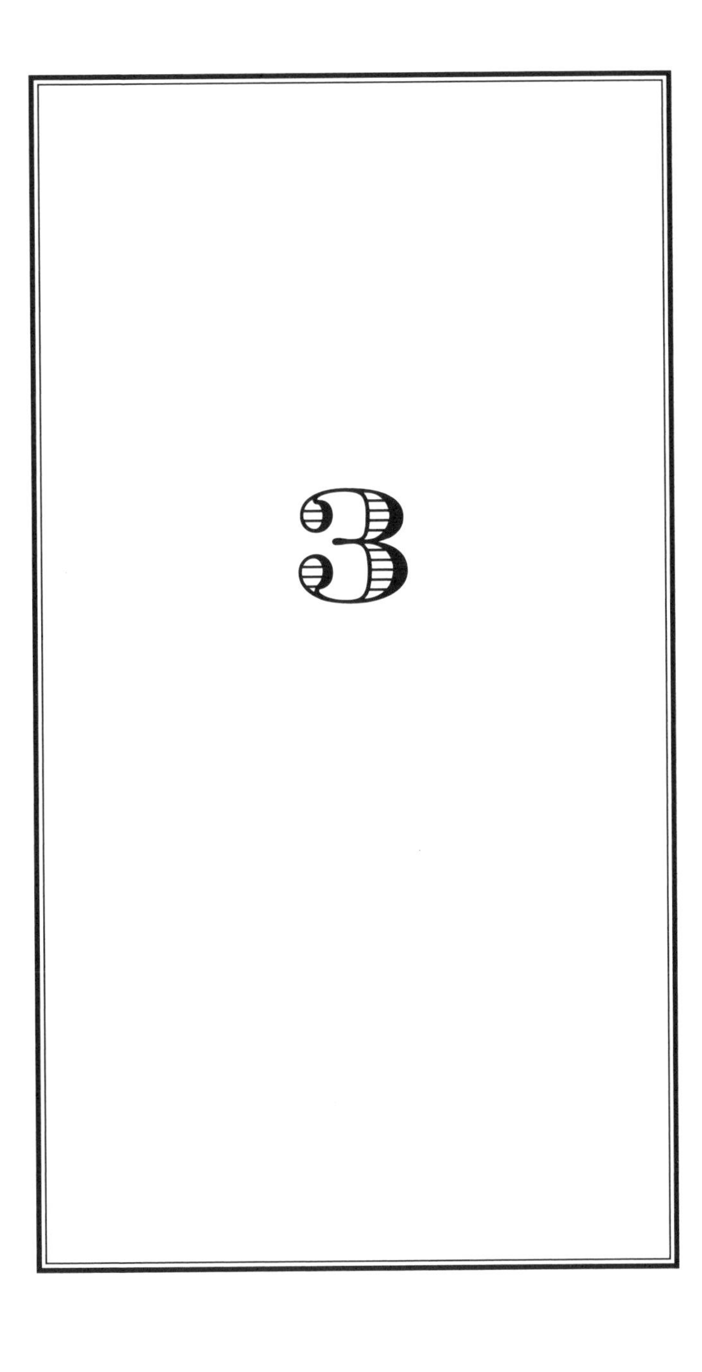
3

Je me suis présenté à l'école le samedi suivant à neuf heures moins quart, comme convenu.

Le bibliothécaire m'attendait à l'entrée de l'administration. Il m'a à nouveau toisé comme s'il voulait me tailler des vêtements, puis il m'a invité à lui emboîter le pas.

Le silence qui régnait dans les corridors était si inhabituel qu'il en était inquiétant. Je n'entendais que le bruit des clés qui s'entrechoquaient sur le trousseau que monsieur Leclerc portait à sa ceinture et celui de ses chaussures sur le carrelage : clic, clic, clic...

On aurait dit qu'il avait des fers sous ses talons.

La cloche a alors retenti et m'a fait sursauter. Elle ne sonnait peut-être pas plus fort que d'habitude, mais une école vide constitue une formidable caisse de résonance. Je présume que les sons doivent se répercuter de la même façon entre les murs d'une prison.

– C'est un système automatisé, m'a expliqué le bibliothécaire sans que j'aie à lui poser de question. La cloche sonne à toutes les heures, même pendant les jours de congé. C'est ridicule, mais c'est comme ça. Je n'ai pas encore réussi à m'y habituer, depuis le temps...

Nous sommes enfin arrivés à la bibliothèque, dont la porte était fermée à clé. Monsieur Leclerc l'a ouverte, m'a laissé entrer et l'a une fois de plus verrouillée derrière lui.

Il m'a ensuite entraîné par-delà le comptoir, où était dissimulée une autre porte encore une fois fermée à clé. Nous l'avons franchie pour nous retrouver dans une petite pièce, à peine un cagibi, dans laquelle trônaient quelques étagères garnies de livres brisés ou défraîchis. Il n'y avait certainement pas là de quoi m'occuper pendant quelques samedis !

– L'entrepôt principal se trouve à la cave, a précisé monsieur Leclerc comme s'il lisait dans mes pensées. Suivez-moi.

J'ai alors remarqué une porte métallique au fond de la pièce. Le bibliothécaire l'a ouverte au moyen d'une autre clé de son trousseau, puis il m'a invité à monter dans un ascenseur, ou plutôt dans un monte-charge si étroit que nous avions tout juste assez de place pour nous y tenir tous les deux. Je devais presque retenir mon souffle et me confondre avec le mur pour éviter de toucher au vieil homme.

La descente m'a paru tellement longue que je me suis demandé s'il y avait une douzaine de sous-sols sous notre école ou si le monte-charge était désespérément lent.

J'étais soulagé que la porte s'ouvre enfin lorsque nous sommes arrivés à destination, sauf que mon soulagement a été de courte durée. Quand elle s'est refermée derrière nous dans un grincement métallique, nous nous sommes retrouvés dans une pièce qui baignait dans l'obscurité la plus totale.

– J'espère que vous appréciez cette ambiance, m'a chuchoté monsieur Leclerc. Pour ma part, je l'adore. Chaque fois que je viens ici, j'attends quelques instants avant d'actionner le commutateur. On n'a pas souvent l'occasion de goûter un tel silence, une noirceur aussi opaque. C'est reposant, n'est-ce pas ?

« Reposant ? » Le mot qui me passait par l'esprit était plutôt « angoissant ». Je ne l'ai évidemment pas prononcé.

– Certaines personnes craignent le silence, a-t-il murmuré. C'est triste. Pour moi, c'est la plus belle des musiques.

Les néons du plafond se sont enfin allumés en grésillant et j'ai pu voir ce qui était entassé dans ce vaste entrepôt souterrain : des piles de vieux pupitres démantelés, des globes terrestres vétustes, des rétroprojecteurs, des carrousels de diapositives et autres antiquités. Il était temps que quelqu'un fasse le ménage dans ce fouillis, mais ce n'était pas pour cela que j'avais été engagé.

Nous avons avancé dans cette pièce pour découvrir, derrière un amoncellement de bureaux et de chaises, des centaines d'objets qui auraient pu être exhibés dans un musée des horreurs : des rapaces et des singes empaillés, des squelettes de mammifères, des insectes géants, des bocaux de verre contenant des serpents et une grande variété de batraciens difformes baignant dans un liquide jaunâtre.

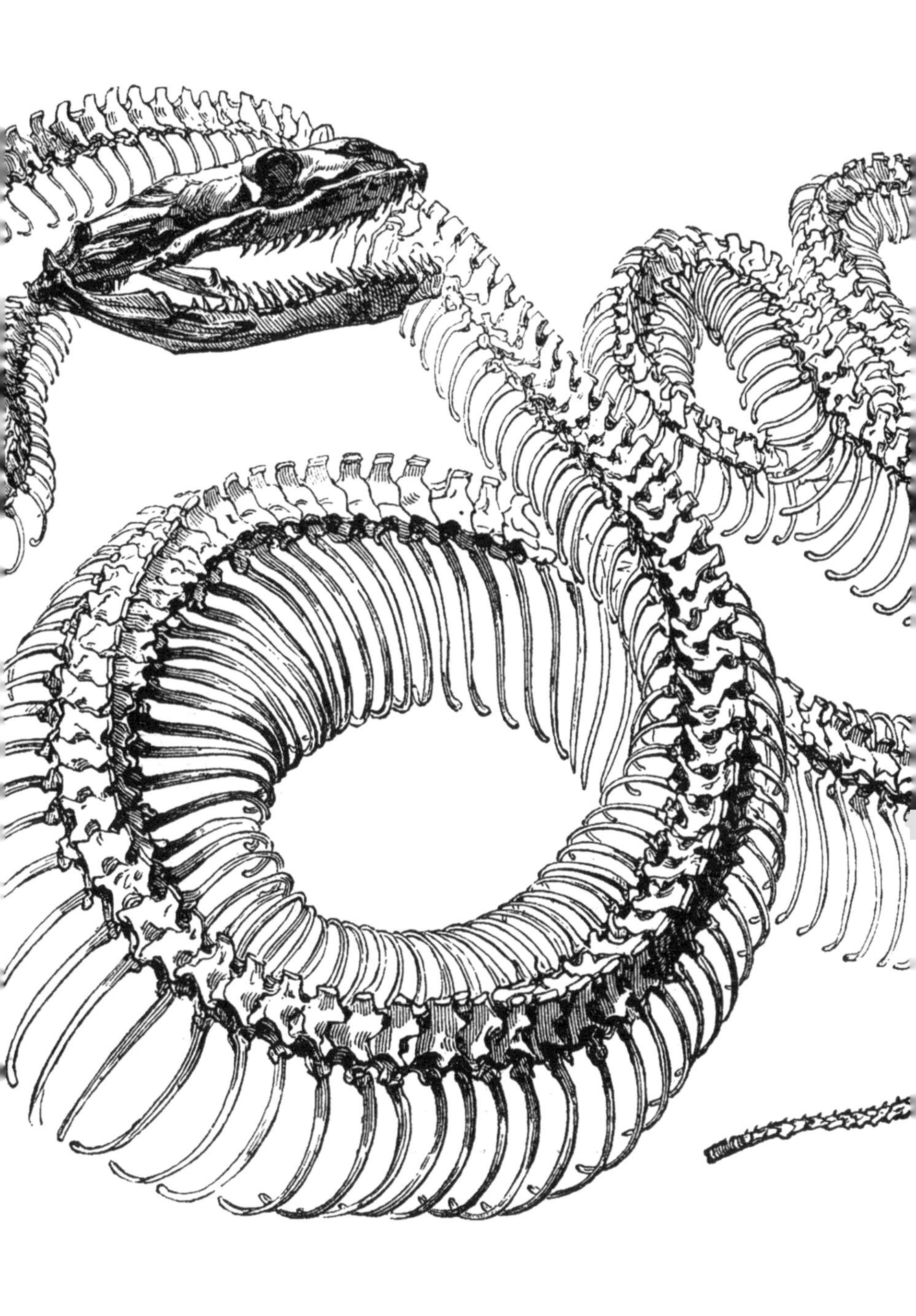

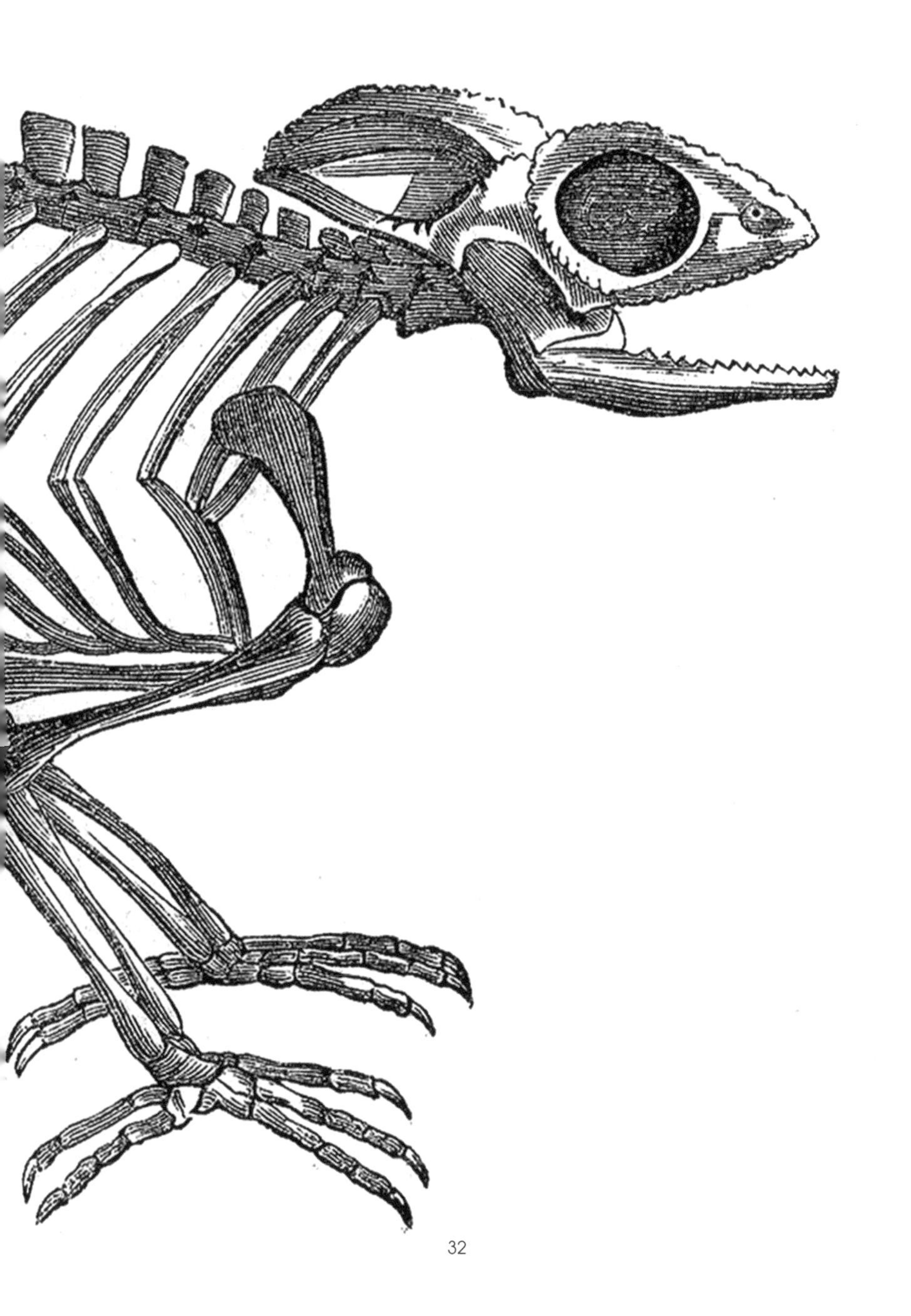

– Intéressant, n'est-ce pas ? La plupart de ces animaux faisaient partie d'une collection patiemment montée par notre communauté religieuse au début du siècle dernier. Nous avions des missionnaires sur tous les continents, à l'époque, et ceux-ci nous faisaient parvenir des spécimens d'animaux étranges. La collection était autrefois beaucoup plus importante et comprenait même des fœtus humains, ainsi que de nombreux organes conservés dans le formol. Il n'en reste plus rien aujourd'hui, du moins officiellement. Dommage.

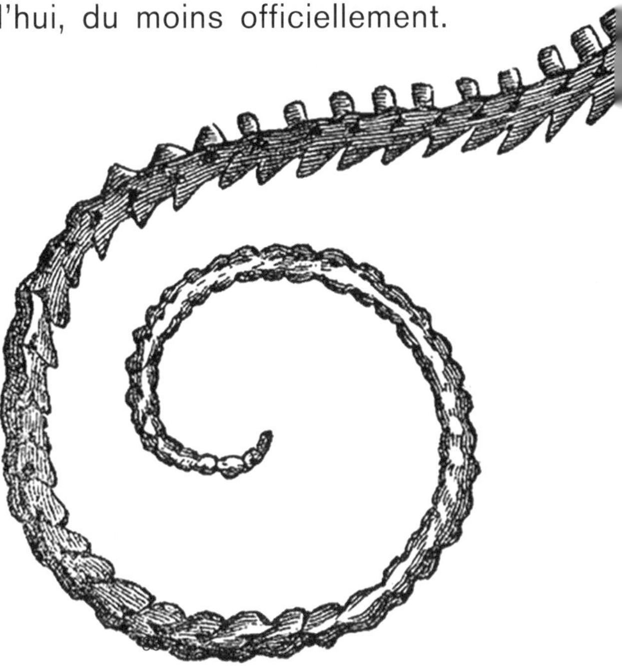

J'ai été intrigué par le « nous » qu'il avait utilisé en parlant des missionnaires et j'ai voulu lui poser une question à ce sujet, mais ce que je voyais autour de moi était si troublant que j'ai été vite distrait. Sur une tablette, il y avait une impressionnante série de bocaux de verre qui provenaient du Congo. S'il fallait en croire les étiquettes, ils contenaient des yeux de chimpanzés, de gorilles et de bonobos. Leurs pupilles ressemblaient tellement à celles des humains que c'en était épeurant.

Le bibliothécaire marchait maintenant plus lentement, comme s'il désirait me laisser le temps de bien observer la chauve-souris géante du Sri Lanka (*Pteropus giganteus*), l'aigle qui tenait dans son bec crochu un crotale du Nouveau-Mexique (*Crotalus catalinensis*), et les quelques douzaines de veuves noires (*Latrodectus mactans*) piquées sur des épingles.

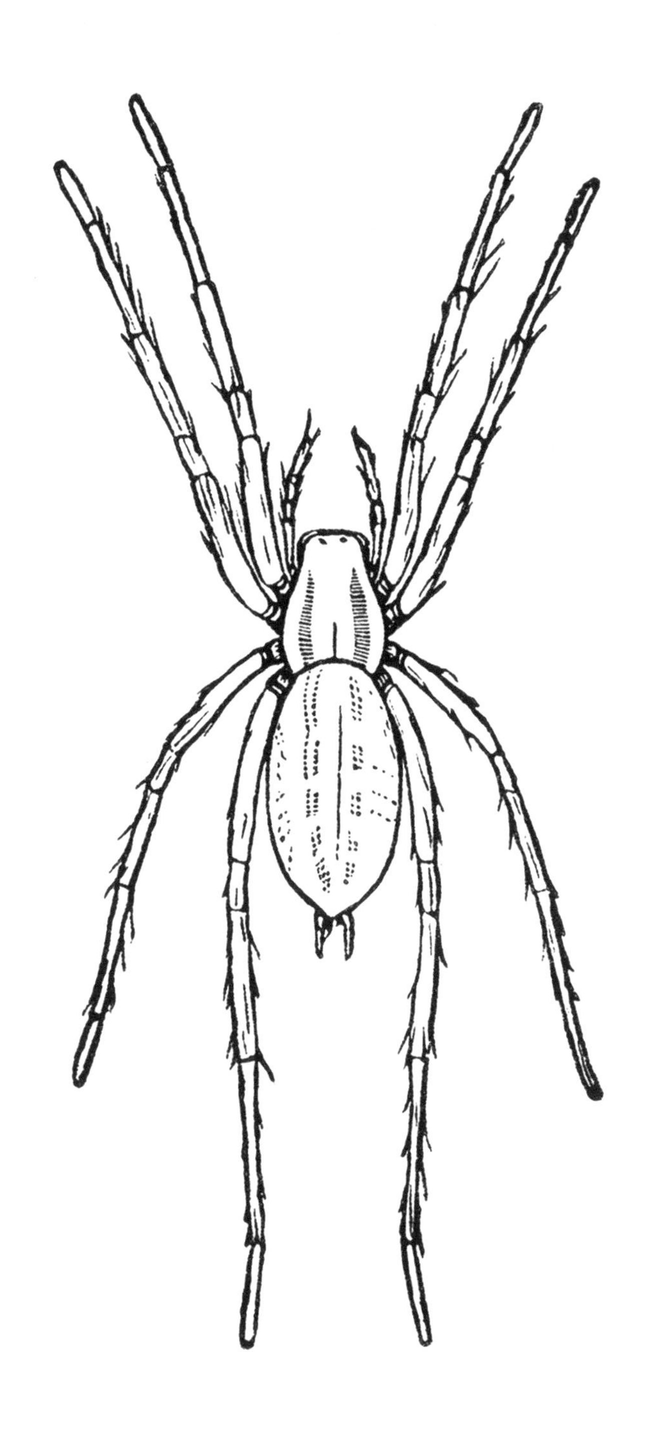

– Vous pourrez observer ces animaux pendant vos pauses. Ils deviendront peut-être vos amis, qui sait ?

Si c'était une blague, elle ne m'a pas semblé drôle.

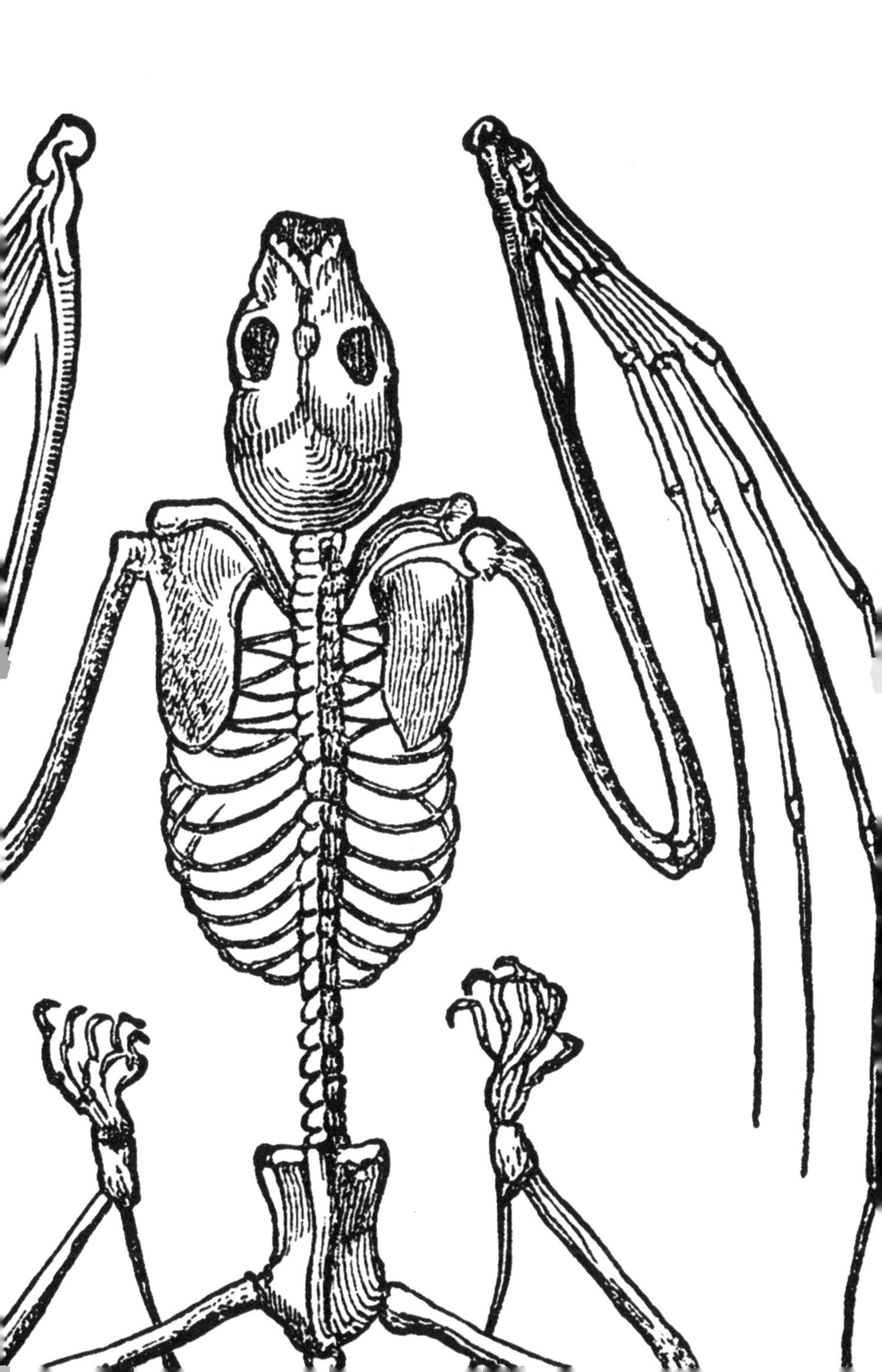

5

Nous avons pénétré dans une autre pièce où étaient alignées des étagères métalliques remplies de vieux livres couverts de poussière.

Il a pris un des livres et l'a feuilleté rapidement.

– Vous devrez en faire autant pour chacun des livres avant de le ranger dans sa boîte, m'a-t-il dit. On ne sait jamais ce qui peut se cacher dans ces vieux bouquins. Ne perdez pas votre temps à les lire, cependant : plusieurs sont complètement dépassés et d'autres sont carrément dangereux.

Ils pourraient vous mettre de drôles d'idées en tête. On ne décriera jamais assez l'influence des mauvaises lectures sur de jeunes cerveaux.

Il a ensuite soufflé sur la tranche du livre, soulevant du même coup un nuage de poussière qui m'a fait éternuer.

– J'aurais dû penser à vous fournir un masque. Je vous en apporterai un sur l'heure du midi. J'espère que je ne l'oublierai pas.

Il m'a alors lancé un regard en coin et j'ai eu la vague impression qu'il se moquait de moi.

– N'oubliez surtout pas de bien feuilleter les livres. Avez-vous apporté un lunch, au fait ?

J'ai fait non de la tête.

– Ce n'est pas grave, il y a des sandwichs dans les machines distributrices de la cafétéria. Je vous en paierai un quand je reviendrai vous chercher, à midi pile.

Je me suis répété ces phrases des dizaines de fois au cours des heures suivantes : s'il comptait m'enfermer à tout jamais dans cette cave, pourquoi m'aurait-il parlé de masques pour me protéger de la poussière et des sandwichs qu'il me paierait ? Était-il machiavélique au point d'avoir voulu endormir ma méfiance avec ces mots rassurants ?

Il m'a ensuite montré où se trouvaient les boîtes vides et à quel endroit je devrais les déposer quand elles seraient remplies, puis il s'est dirigé vers le monte-charge. Je me souviens d'avoir entendu la porte se refermer en grinçant, puis le silence a envahi la pièce, à peine troublé par le grésillement des néons.

Je suis retourné le plus rapidement possible dans la salle des livres, en ne jetant qu'un regard furtif à la chauve-souris géante du Sri Lanka. J'avais l'impression qu'elle me suivait de ses yeux d'émeraude et ça me glaçait le sang.

J'avais l'intention de me mettre immédiatement au travail et d'en finir au plus vite avec ce contrat. Bien que je n'aie jamais été claustrophobe, l'ambiance qui régnait dans cette cave me déplaisait au plus haut point.

Je me suis d'abord attardé à la section des livres religieux et j'ai rempli en moins d'une heure cinq caisses d'encycliques, de vies de saints et de recueils de prières. J'aurais pu en faire le double si je n'avais pas dû feuilleter chacun de ces livres, comme me l'avait recommandé

le bibliothécaire. N'y étaient cachées que des images pieuses et des fleurs séchées, et je doutais que ça ait une grande valeur. Qu'espérait-il que j'y découvre ? Des lettres d'amour ? Des billets de banque du Sri Lanka ?

Une fois terminée la section des livres religieux, j'ai évalué ce qu'il me restait à accomplir. Si je continuais à travailler à ce rythme, je pourrais certainement avoir fini en une journée. Je gagnerais évidemment moins d'argent que prévu, mais je passerais moins de temps dans cette cave poussiéreuse... Ma décision n'a pas été longue à prendre ; je voulais sortir de là au plus vite, peu importait l'argent.

Je me suis donc remis au travail et je me suis attaqué à la section des livres de médecine. Peu à peu, ma résolution d'en finir rapidement a commencé à fléchir. Je suis en effet tombé sur de gros bouquins du XIXe siècle dans lesquels on décrivait des maladies mentales terrifiantes, des traités d'hypnose ou alors des manuels de phrénologie, cette pseudo-science selon laquelle on peut déterminer le caractère des gens d'après la forme de leur crâne. On y montrait des visages de criminels à faire frémir.

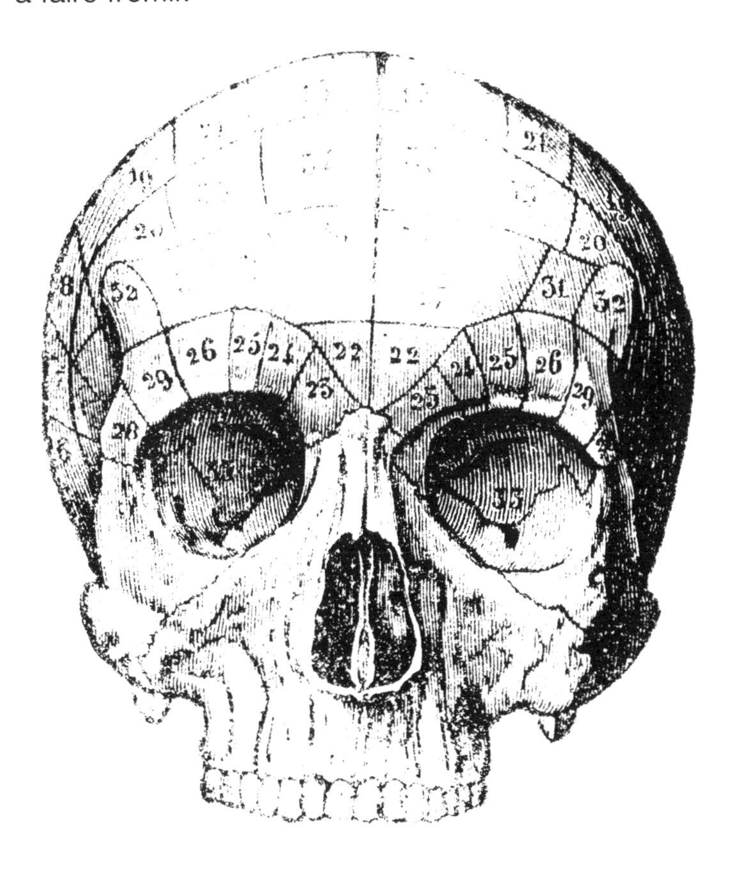

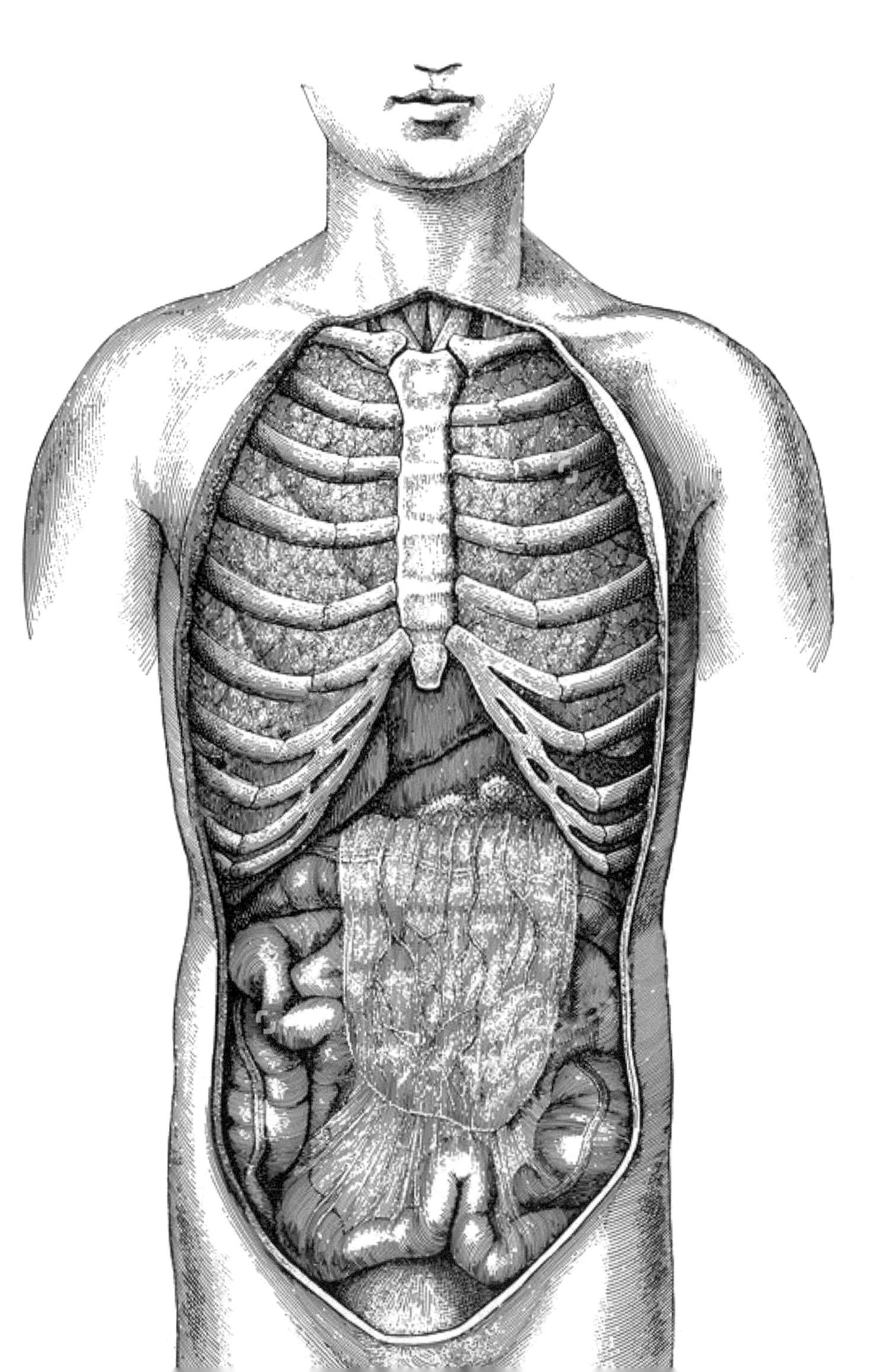

Pire encore, certains ouvrages parlaient de maladies rares qui transformaient les pauvres patients en monstres, comme l'éléphantiasis et la fibrodysplasie ossifiante progressive, plus connue sous le nom de « maladie de l'homme de pierre ».

J'avais beau me dire que je ne devais pas perdre mon temps à regarder ces images, une force obscure me poussait à les contempler, comme si elles avaient le pouvoir de m'hypnotiser.

J'ai aussi découvert, cachés derrière d'autres rangées de livres portant sur des sujets moins inquiétants, des dizaines de traités de taxidermie et d'embaumement. Les illustrations, bien qu'en noir et blanc, étaient si réalistes que j'aurais pu m'y fier pour devenir croque-mort.

Plus je m'attardais à ces images, plus je sentais ma gorge s'assécher, comme si je n'arrivais plus à produire de salive. Je soupçonnais que la poussière en était responsable et j'espérais que monsieur Leclerc n'oublierait pas le masque. Je m'en voulais de ne pas avoir apporté une bouteille d'eau.

Un de ces traités était exclusivement consacré à l'embaumement des singes. En le feuilletant, j'ai remarqué d'anciennes photos de variétés de primates dont plusieurs font sûrement partie d'espèces disparues. Certains d'entre eux ressemblaient tellement à des humains que c'en était troublant. J'y ai aussi vu, curieusement, des photos d'élèves qui me rappelaient celles des cadres consacrés aux anciennes promotions. Leurs noms étaient d'ailleurs écrits à l'endos et j'ai ainsi pu vérifier que j'avais bel et bien affaire à Tancrède, Hormisdas, Charlemagne et Elphège, entre autres. Pourquoi ces photos se trouvaient-elles là ?

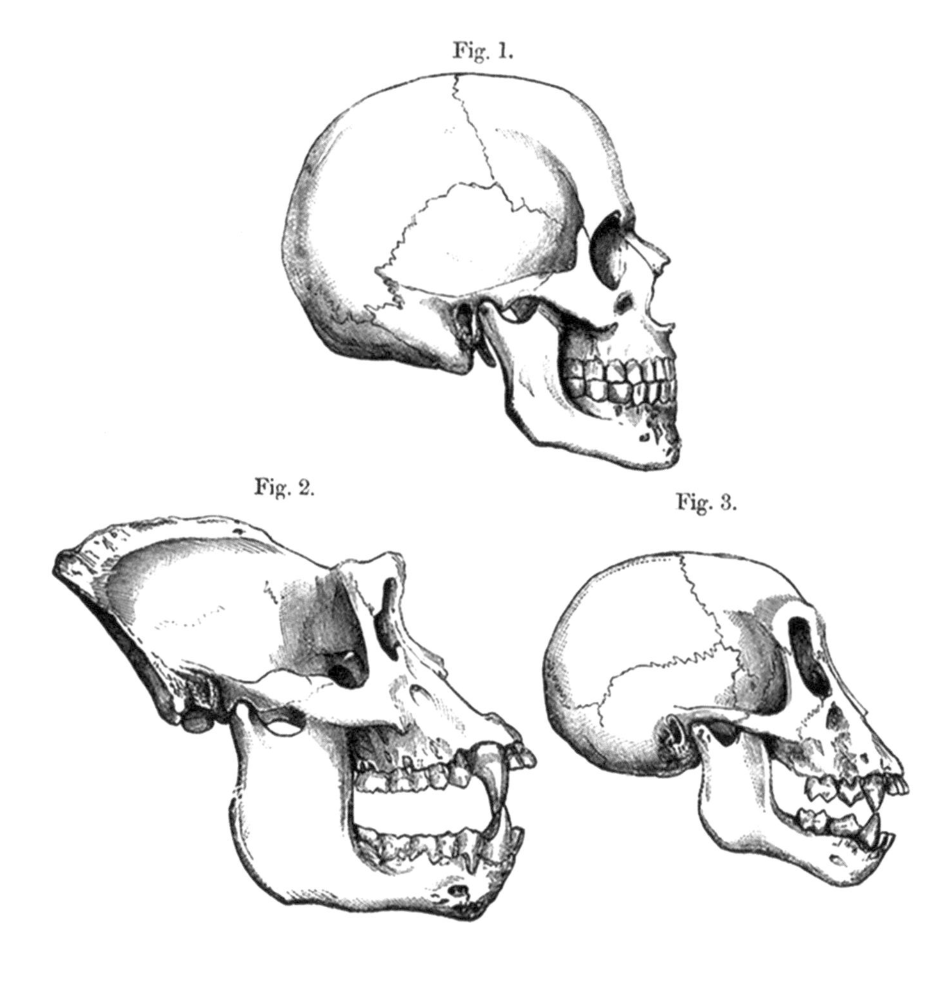
Fig. 1.
Fig. 2.
Fig. 3.

J'étais si captivé par ces livres et ces images que j'ai perdu la notion du temps. Quand les gargouillis que j'entendais dans mon estomac m'ont incité à regarder mon téléphone, je me suis aperçu que l'heure du midi était depuis longtemps passée : il était quatorze heures trente.

Pourquoi monsieur Leclerc n'était-il pas venu me chercher, comme il l'avait promis ?

Peut-être s'attendait-il à ce que j'aille le rejoindre par moi-même ? C'était sans doute cela, oui : nous nous étions mal compris, voilà tout.

Je me suis dirigé vers le monte-charge. Il n'y avait aucun moyen de l'utiliser, car il n'y avait pas de boutons pour l'appeler. Le cadre métallique arborait une serrure, dont je n'avais pas la clé.

Je n'ai jamais été aussi heureux de posséder un téléphone cellulaire. Comme je n'avais pas envie de chercher le numéro de l'école et de me faire proposer douze choix qui ne m'intéressaient pas, j'ai décidé d'appeler plutôt mes parents, qui se trouvaient tous deux à la maison.

J'ai tenté de composer le numéro, il n'y avait aucun signal. La cave était sans doute trop profonde, ou les murs trop épais. Il n'y avait évidemment pas moyen non plus d'utiliser Internet, mais j'ai quand même essayé plusieurs fois.

C'est à ce moment-là que j'ai commencé à avoir vraiment peur.

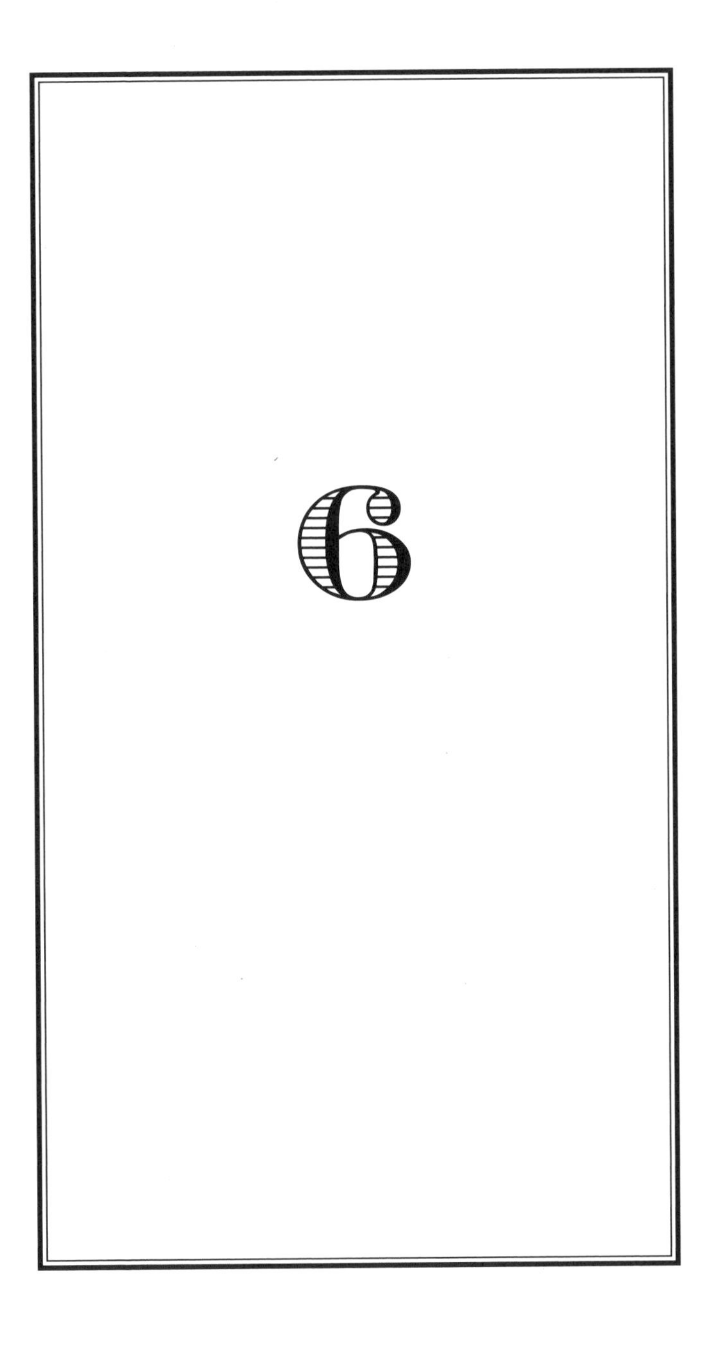

6

Je n'ai bientôt eu qu'une seule idée en tête : sortir au plus vite de cette cave, d'autant plus que je mourais de soif. J'ai cogné à la porte du monte-charge, sans résultat ; je ne pouvais pas faire beaucoup de bruit en tapant à mains nues sur une porte de métal.

J'ai regardé autour de moi à la recherche d'un objet métallique, et j'ai aperçu un vieux tournevis, dont je me suis emparé.

Je l'ai utilisé pour frapper de toutes mes forces, personne ne m'a répondu. Je faisais pourtant un tapage d'enfer.

J'ai ensuite donné de plus petits coups, espérant que le son se propage par la cage du monte-charge et que quelqu'un finisse par l'entendre.

Je pourrais aussi y aller de trois coups rapprochés, trois lents et trois rapprochés, pour faire des S.O.S. ?

C'est ce que j'ai fait pendant une bonne heure, sans plus de résultat.

J'ai arrêté de frapper et je me suis ensuite collé l'oreille très longtemps sur la porte de l'ascenseur. Je ne réussissais même pas à percevoir les cloches de l'école, qui faisaient pourtant un bruit épouvantable.

Je me répétais que je ne devais pas m'énerver et que je devais ménager mes énergies, mais je commençais à me douter que je n'arriverais jamais à rien en restant immobile dans cette cave, surtout que la température baissait très vite.

À huit heures du soir, je n'avais toujours pas eu de nouvelles du bibliothécaire et il faisait froid comme dans une morgue.

7

J'ai alors décidé de faire le tour de la pièce, à la recherche d'un escalier par lequel j'aurais pu m'enfuir. N'importe quelle issue, même condamnée, aurait fait l'affaire. J'aurais été prêt à arracher des clous avec mes ongles ou à gratter du ciment pour me tirer de ce trou poussiéreux. Je n'ai rien trouvé.

Je suis ensuite retourné dans la salle des livres, sans plus de succès. Je n'y ai pas vu le moindre tuyau, le plus étroit conduit d'aération.

Je me suis demandé combien de temps je pourrais inhaler cet air vicié avant de m'empoisonner. J'ai vite chassé cette idée de mon esprit. Je n'avais pas vraiment besoin de nouvelles raisons pour angoisser. Pourtant, comment ne pas y penser quand ma gorge devenait toujours plus sèche et que mes yeux brûlaient ?

J'ai essayé de respirer le plus profondément possible pour me détendre et j'ai décidé de ne pas me laisser envahir par des images morbides. Si je voulais me sortir de là, je devais rester calme et agir.

De grandes armoires vitrées étaient adossées à un des murs. J'ai tenté d'en déplacer quelques-unes au cas où elles dissimuleraient des issues et j'ai fini par découvrir une porte en bois, très basse.

Elle était fermée à clé, mais la serrure semblait rudimentaire. J'ai essayé de la forcer avec mon tournevis et j'ai réussi à briser le cadrage de la porte, puis à l'ouvrir. La pièce à laquelle elle donnait accès était plongée dans l'obscurité.

J'ai tâtonné dans le noir à la recherche d'un commutateur, en vain. Je me suis servi de mon téléphone comme lampe de poche et j'ai franchi la porte en tenant le cellulaire d'une main et le tournevis de l'autre. Mon arme était peut-être ridicule, mais je me sentais plus brave depuis que je l'avais et je la brandissais comme un poignard.

J'ai alors eu l'impression de pénétrer dans une boutique de taxidermiste. Des dizaines de perroquets empaillés étaient alignés sur des étagères et me fixaient de leurs yeux de verre qui brillaient même quand je ne les éclairais pas, comme ces jouets phosphorescents qui luisent dans la nuit.

Le sol était presque entièrement couvert de serpents et de crocodiles qui semblaient tous regarder dans ma direction. On aurait dit qu'ils voulaient m'empêcher de pénétrer plus avant dans la pièce.

S'il y a quelque chose que j'ai en horreur, ce sont les serpents. J'avais beau savoir que ceux-ci étaient morts, j'avais quand même l'impression qu'ils me suivaient des yeux et s'apprêtaient à m'attaquer. J'ai surmonté ma répulsion et j'ai avancé prudemment jusqu'à atteindre un amas invraisemblable d'animaux divers. Il y avait là, pêle-mêle, des singes, des tatous, des canards, des ours, des carcajous et bien d'autres que je ne pouvais pas identifier. Même si ces bêtes étaient empaillées et poussiéreuses, elles paraissaient vivantes. En m'approchant, j'ai cru voir une patte velue bouger, comme si un singe tentait de se dégager de cette pile de cadavres.

Il n'était pas question que je reste là une seconde de plus. Je suis retourné sur mes pas le plus rapidement possible, j'ai refermé la porte derrière moi.

J'ai replacé l'armoire comme si de rien n'était, malgré son poids imposant, puis j'ai regagné la pièce où se trouvaient les étagères garnies de livres. Tout compte fait, les livres me semblaient moins dangereux que les animaux.

8

Je me suis assis par terre, pris de tremblements. Aussitôt que je fermais mes yeux, je revoyais ceux des animaux empaillés qui me dévisageaient et cette patte velue qui avait bougé. Je me répétais que c'était impossible et que j'avais sûrement été victime d'hallucinations, mais je n'arrivais pas à m'en convaincre.

Quand j'ouvrais les yeux et que je voyais des tablettes chargées de livres, c'était loin de me rassurer, j'avais au contraire l'impression que les manuels de taxidermie se mettaient en mouvement sur les étagères et qu'ils s'apprêtaient à foncer sur moi.

J'ai inspecté les murs une fois de plus, à la recherche d'un tuyau. Je rêvais de gouttelettes d'eau formées par la condensation. Je m'en serais abreuvé avec délice, sauf qu'il n'y avait rien d'autre que des vieilles pierres et du ciment.

J'ai alors regardé le tournevis que j'avais encore dans la poche arrière de mon pantalon et j'ai retrouvé un peu de sang-froid. Si j'avais réussi à forcer une porte à l'aide de cet outil, peut-être que je pourrais ouvrir celle du monte-charge par ce moyen ?

La porte du monte-charge n'était pas en bois, mais en acier. Le cadre également. Il n'y avait aucune fente où glisser mon tournevis. Je n'arrivais même pas à égratigner la surface.

C'est à ce moment-là que les néons se sont éteints un à un.

Personne n'avait pu actionner le commutateur, il était tout près de moi, à côté du monte-charge.

Les néons ne se sont d'ailleurs pas éteints normalement : ils ont explosé, ou plutôt implosé en faisant de drôles de bruits. Pouf, pouf, pouf…

Quelques secondes plus tard, j'étais plongé dans le noir. La batterie de mon téléphone était presque entièrement déchargée et je tremblais comme une feuille.

9

J'ai dû m'endormir – ou m'engourdir, je ne sais pas. Quand je me suis réveillé, il m'était impossible de deviner quelle heure, ni même quel jour on était. La pile de mon téléphone était morte.

Je me suis de nouveau demandé combien de temps on pouvait survivre sans manger ni boire. Je me sentais épuisé et complètement déshydraté, comme si j'avais couru tout un marathon sans avaler une goutte d'eau.

J'ai recommencé à frapper des S.O.S. Dès que je m'arrêtais me parvenaient des sons inquiétants que j'essayais d'interpréter :

des livres qui se mouvaient sur les étagères, des bruits de pas feutrés, des ongles qui grattaient les murs, des bibliothèques qu'on déplaçait. Je prêtais aussitôt l'oreille, mais n'entendais plus qu'un silence angoissant. Est-ce que je devenais fou ?

J'étais si faible que je n'arrivais pas à me relever. Je me suis recroquevillé par terre, en tâchant de conserver le plus longtemps possible le peu qu'il me restait d'énergie.

10

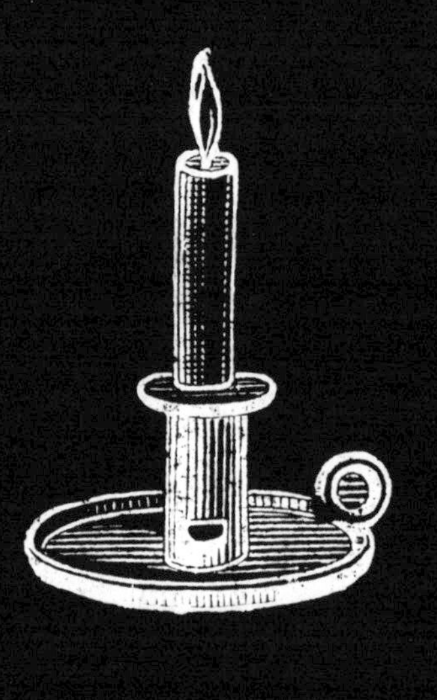

Je me suis assoupi une deuxième fois et je me suis réveillé encore plus affamé, la gorge si sèche qu'on aurait dit que j'avais avalé du sable.

Mes yeux semblaient desséchés eux aussi et j'avais du mal à ouvrir mes paupières. J'y suis pourtant arrivé pour apercevoir la faible lueur d'une bougie, au loin.

La lumière s'est approchée et j'ai pu distinguer le visage de Viateur, que cet éclairage rendait diabolique. J'ai éprouvé un sentiment de répulsion, mais j'étais en même temps soulagé de voir un être humain. Je priais pour qu'il m'ait apporté de l'eau.

Comment pouvait-il se tenir là, devant moi ? Était-il possible que le monte-charge soit descendu sans que j'en aie eu connaissance ?

Quand j'ai voulu lui demander à boire, aucun son n'est sorti de ma gorge. J'arrivais à peine à ouvrir la bouche, comme le plus stupide des poissons.

– C'est difficile de parler, n'est-ce pas ? C'est très bon signe, croyez-moi. Cela signifie que vous êtes sur le point de mourir de déshydratation. C'est une mort très agréable, vous verrez. On dit que c'est comparable à la noyade. Une fois passée la période d'angoisse, on devient euphorique et on quitte ce monde sans même s'en rendre compte. Oh, avant ce délicieux moment, laissez-moi vous montrer ma plus belle collection. Suivez-moi.

J'avais envie de me ruer sur lui et de l'étrangler, mais j'étais si ankylosé que je n'arrivais pas à me lever. Je ne pouvais même pas lui crier les insultes qui me traversaient l'esprit ; j'étais une fois de plus incapable d'émettre le moindre son.

– C'est difficile de marcher, n'est-ce pas ? Faites donc comme les chiens et utilisez vos quatre pattes.

Son ton était si méprisant que j'ai eu un sursaut d'orgueil et que j'ai réussi à me lever. J'étais chambranlant, mais au moins je me tenais debout.

– Vous m'étonnez, jeune homme ! Vous n'aurez pas à marcher longtemps, rassurez-vous.

11

Viateur s'est dirigé vers la bibliothèque vitrée que j'avais eu tant de mal à déplacer et il y est arrivé sans la moindre difficulté : il n'a eu qu'à entrer sa clé dans une serrure et à la tourner pour que le meuble pivote lentement sur ses gonds.

– Je vais maintenant allumer les lumières, pour que vous puissiez admirer mon chef-d'œuvre. Ça risque de vous faire mal aux yeux, je préfère vous en avertir. Vos réserves de liquide lacrymal sont très faibles. En fait, je doute qu'il vous en reste encore.

Il avait raison de me prévenir. La lumière des néons était si agressante que j'ai eu le réflexe de me couvrir les yeux avec mes mains. Je suis arrivé ensuite à cligner des paupières, quoique difficilement.

Nous avons contourné la montagne d'animaux empaillés et j'ai alors découvert une section de l'entrepôt dans laquelle se trouvaient un tableau noir, un bureau de professeur et une trentaine de pupitres. On aurait dit une salle de classe qui aurait été transposée directement de 1909 à nos jours.

Deux des rangées étaient occupées par une douzaine d'élèves vêtus du même uniforme : pantalons gris, blazers bleus, chemises blanches et cravates. D'autres élèves assis plus loin ne portaient pas cet uniforme et avaient les cheveux plus longs, comme s'ils provenaient d'une époque plus récente. Leurs visages étaient tous différents et paraissaient si réels que j'ai immédiatement pensé à ces statues de cire qu'on voit dans les musées.

C'est à ce moment-là que je me suis rendu compte avec horreur qu'il ne s'agissait pas de personnages en cire. Une des mains n'était pas terminée et on distinguait très bien la peau, bourrée de paille. C'était de la véritable peau humaine et l'élève à qui cette main appartenait semblait me lancer un regard implorant, comme s'il me suppliait de le tirer de là.

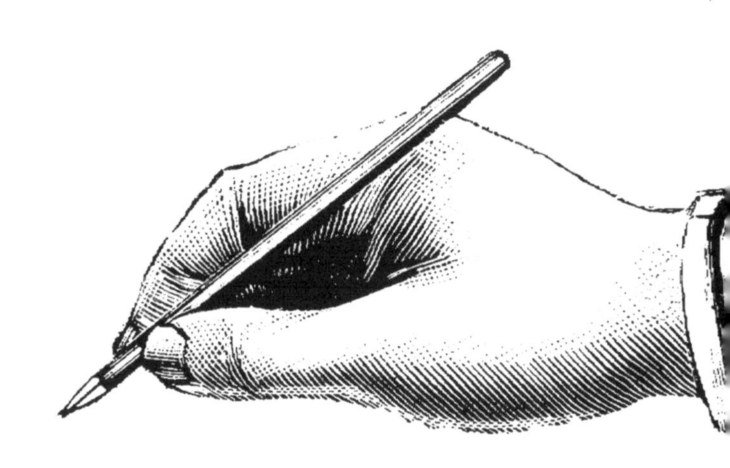

J'ai alors compris que c'était le sort qui m'attendait si je ne trouvais pas un moyen de m'enfuir.

– Bienvenue dans ma classe, monsieur Mathieu ! Cette reconstitution est magnifique, n'est-ce pas ? Et vous serez en bonne compagnie, comme vous pouvez le voir... Il me manquait un élève de votre grandeur, voyez-vous, et monsieur Robillard me l'a enfin procuré. Ce pupitre est pour vous. Il est superbe, qu'en dites-vous ? Les pattes ne sont pas faites avec de simples tuyaux de métal, comme c'est si souvent le cas aujourd'hui. C'est du véritable fer forgé. Et le bois n'est pas en aggloméré, c'est du vrai chêne. On savait construire des meubles durables, dans le temps.

Cet homme s'apprêtait à me laisser mourir, et il me parlait des pattes de mon pupitre. Ce dément voulait m'empailler pour m'ajouter à sa collection, et il vantait la qualité des vieux meubles.

– Asseyez-vous, je vous en prie. Je lis encore de la peur dans vos yeux. Soyez sans crainte, vous entrerez bientôt dans votre phase euphorique, comme je vous l'ai promis. Les poussières que vous avez respirées toute la journée ont de merveilleuses propriétés. Vous serez bientôt délivré de tous vos soucis. Laissez-vous aller et tout ira bien.

Je me suis assis à un des pupitres, mais je n'avais pas l'intention de lui obéir encore longtemps. Ce n'était pas de la peur qu'il lisait dans mes yeux, c'était de la rage.

Tandis que je récupérais mes forces, il continuait à marcher et il s'est installé derrière le bureau du professeur, en avant de la classe.

– Il vous est difficile de parler, n'est-ce pas ? Ce n'est pas pour rien que je vous ai demandé de feuilleter tous ces vieux livres. La poussière que vous avez inhalée a été conçue pour vous déshydrater. Ça me facilite beaucoup le travail, par la suite. J'ai mis des années à en élaborer la recette, et elle donne des merveilles. Il y a des avantages à pratiquer la taxidermie : la nature n'est pas avare en poisons de toutes sortes.

Plus il discourait, plus les brumes qui embrouillaient mon cerveau se dissipaient. Mes idées devenaient de plus en plus claires, et je me sentais même plus fort, comme si une sève secrète montait dans mes veines. Vous pouvez me parler tant que vous voudrez, monsieur Leclerc, me suis-je dit, ça ne me dérange pas. Vous verrez bientôt qu'il y aussi des avantages à se tenir en forme.

– L'élève à votre droite s'appelait Tancrède. Il a été le premier spécimen de ma collection. Il est plutôt bien réussi, n'est-ce pas ? Vous avez intérêt à faire sa connaissance : vous aurez à le côtoyer très longtemps ! À votre gauche, c'est Edmond. J'ai eu du mal à le réussir, celui-là : sa peau était trop mince. Il a été mon élève en 1927. C'est grâce à lui que j'ai compris l'intérêt de laisser mes spécimens mourir de soif : ça brise toutes leurs résistances et ça rend leur peau si douce...

Je continuais à sentir la rage bouillir en moi. Peut-être qu'Edmond n'a pas pu résister à vos poisons, sauf qu'aujourd'hui vous avez affaire à quelqu'un d'autre, monsieur Viateur. Donnez-moi encore quelques minutes, et vous verrez que j'ai toujours des réserves d'énergie.

– Ce qui est désagréable dans ce travail, c'est d'enlever les organes internes. Or, s'ils sont desséchés...

Le vieux bibliothécaire avait beau continuer de pérorer, je ne l'écoutais plus.

Mon tournevis se trouvait encore dans ma poche arrière, et il était prêt à servir. Ma seule chance de m'en tirer, c'était de le lui planter dans le cœur. Je me suis levé et j'ai marché lentement vers lui.

– Qu'est-ce que vous faites là ? m'a-t-il crié. Je vous ordonne de vous asseoir, m'entendez-vous ? JE VOUS ORDONNE DE VOUS ASSEOIR !

J'adorais voir la terreur dans ses yeux à mesure que je m'approchais de lui. Ses pupilles se dilataient pendant que j'avançais. Il a essayé de se lever, mais je ne lui en ai pas laissé le temps. J'ai foncé sur lui et je lui ai planté le tournevis dans la poitrine. J'ai eu l'étrange impression que je l'enfonçais dans un fauteuil. À mon grand étonnement, aucune goutte de sang n'en a coulé. Je l'ai enfoncé encore et encore, sans autre résultat que de me donner plus d'énergie et de faire tomber un de ses yeux, qui a roulé jusque sous un pupitre.

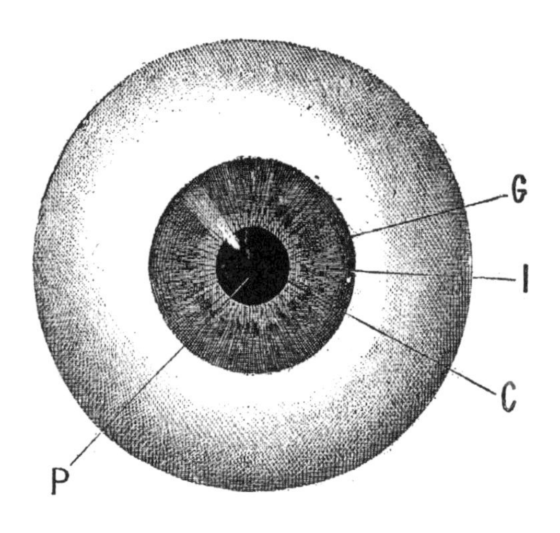

Je me suis alors dit qu'il ne servait à rien de m'acharner sur cette baudruche. J'ai pris les clés qui étaient pendues à sa ceinture et j'ai quitté les lieux, non sans avoir salué Edmond, Tancrède et tous mes camarades d'infortune. Je ne sais pas si je délirais à cause de la soif, mais j'ai eu l'impression d'entendre des applaudissements et même des cris de joie pendant que je traversais la pièce.

J'ai réussi de peine et de misère à regagner le monte-charge, qui a mis une fois de plus un temps fou à remonter jusqu'à la bibliothèque. J'ai alors arpenté les corridors déserts de l'école en me demandant si je rencontrerais un jour quelqu'un qui croirait à mon histoire.

François Gravel

Né en 1951, François Gravel a d'abord enseigné l'économie avant de bifurquer vers l'écriture. Il a écrit une soixantaine de romans qui s'adressent aux adultes (*Filion et frères*, *Nowhere man*), aux adolescents (*Ho*, *La cagoule*, *La piste sauvage*) ou aux plus jeunes (*Klonk*, *David, Zak et Zoé*). Il a aussi publié des albums et des poèmes pas très sérieux (*Quand je serai grand*, *Débile toi-même*), de même que des documentaires amusants (*Shlick*, *Cocorico*) et des ouvrages inclassables (*Le guide du tricheur*). Ses livres lui ont valu de nombreux prix et distinctions (prix M. Christie, Prix TD, Prix du Gouverneur général, liste d'honneur Ibby). Il a l'intention d'écrire jusqu'à ce qu'il atteigne l'âge de quatre-vingt-cinq ans. Il prendra alors deux semaines de vacances (mais pas plus !) avant de s'y remettre.

la courte échelle noire

Des romans pour les amateurs de sensations fortes.

HORREUR SUSPENSE ENQUÊTE

7 ANS et +

9 ANS et +

12 ANS et +

Dans la même collection

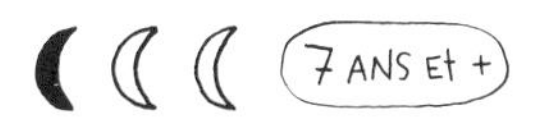

La champ maudit
François Gravel

L'homme de la cave
Alexandre Côté-Fournier

L'agence Mysterium –
L'étrange cas de madame Toupette
Alexandre Côté-Fournier

Je suis un monstre
Denis Côté

Terminus cauchemar
Denis Côté

Québec, Canada

Imprimé sur du Rolland Opaque, contenant 30% de fibres postconsommation, fabriqué à partir d'énergie biogaz, certifié FSC® et ÉCOLOGO.